A Irene O'Garden y Walt Whitman
—J. Marzollo.

A mi sobrina Emma, con cariño
—J. Moffatt.

Originally published in English as *I Am Water.*

Translated by Maria Rebeca Olagaray

Text copyright © 1996 by Jean Marzollo.
Illustrations copyright © 1994 by Judith Moffatt.
Translation copyright © 1999 by Scholastic Inc.
All rights reserved. Published by Scholastic Inc.
Printed in the U.S.A.

ISBN 0-439-68462-5

9   1 0   40   12 13 14 15 16/0

Soy el agua

por Jean Marzollo
Ilustrado por Judith Moffatt

Lector de Scholastic

SCHOLASTIC INC.
New York   Toronto   London   Auckland   Sydney
Mexico City   New Delhi   Hong Kong   Buenos Aires

Mírame.
Soy el agua.
Soy hogar para los peces.

Soy lluvia para la tierra.

Soy bebida para la gente.

Soy agua para el baño
de los bebés.

Yo soy todo eso
y mucho más.

Soy agua para cocinar.

Soy hielo para refrescar.

Soy nieve para deslizarse.

Soy piscina
para chapotear.

Yo soy todo eso
y mucho más.

Soy charco para las botas.

Soy río para los barcos.

Soy lago para nadar.

Soy ola para contemplar.

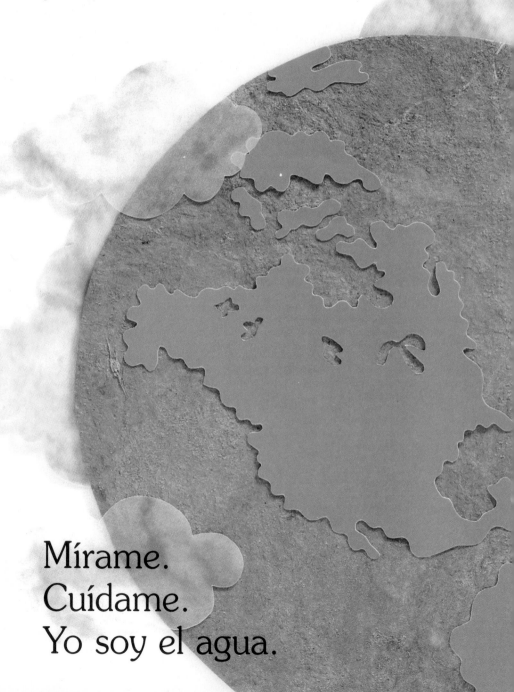

Yo soy eso
y mucho más.

Mírame.
Cuídame.
Yo soy el agua.